Las vacaciones de Sinforoso

Claudia Celis

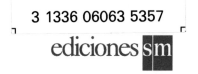

Dirección editorial: **Ana Franco**

Ilustraciones y cubierta: Felipe Ugalde

© 1998, Claudia Celis

Derechos reservados:
© 1998, SM de Ediciones, S. A. de C. V.
Cóndor 240, Col. Las Águilas, 01710, México, D. F.

Primera edición: México, 1998
Segunda edición: México, 2000
Tercera edición: México, 2001
Cuarta edición: México, 2001

ISBN: 968-7791-76-4 Colección El Barco de Vapor
ISBN: 968-7791-38-1 SM de Ediciones, S. A. de C. V.

Impreso en México / *Printed in Mexico*

1

ALGUIEN MUY especial ha llegado a nuestra casa. Se llama Sinforoso. Es un mono araña muy bonito, aunque demasiado travieso.

A Sinforoso lo trajimos de Catemaco. A Manuelito y a mí nos encantó Catemaco porque tiene muchísimos árboles, palmeras y también una laguna enorme. Se parece a nuestro pueblo, aunque en nuestro pueblo no hay laguna ni palmeras.

Sinforoso es de todos. Laura dice que es de ella porque fue la que se puso más necia para que mi papá y mi tío lo compraran, pero la verdad, también es de Manuelito, mío y de nuestros primos.

Sinforoso va a vivir una semana con nosotros y otra con nuestros primos. Va a estar muy contento, porque cuando esté en nuestra casa va a tener árboles, pájaros, tuzas y millones de luciérnagas; y cuando esté en la de ellos, por las noches, podrá contemplar las luces de los faros de los coches y de los anuncios de las tiendas, y así no extrañará a las luciérnagas.

Manuelito y yo queríamos ir de vacaciones a Cuernavaca, porque hay muchas albercas y además, no está tan lejos. Lo que pasa es que, cuando los viajes son muy largos, Manuelito y yo nos mareamos en el coche.

Pero Laura dijo que mejor a Veracruz, y como ella es la mayor y mis papás siempre la obedecen, pues fuimos allá.

En Veracruz íbamos a estar dos semanas, pero por lo de Sinforoso sólo estuvimos dos días.

Un día antes de salir, mi tío Vicente habló con mi papá:

—Manuel, nosotros también queremos ir de vacaciones sólo que mi coche se ha estropeado, ¿podemos ir con vosotros?

—¡Desde luego! —contestó mi papá—. ¡Nos apretamos en el mío y asunto arreglado!

Mi papá quiere mucho a mi tío Vicente. Siempre dice que es su hermano, aunque sólo es su cuñado.

Mi tío Vicente es altísimo, calvo y muy guapo, pero a veces nos da miedo porque es muy gritón. Mi mamá dice que grita porque es español y los españoles así hablan.

A pesar de todo, mi tío nos cae bien porque es muy chistoso y, además, es el papá de nuestros primos.

Manuelito y yo queremos mucho a nuestros primos porque, aunque son mayores que nosotros, nos dejan jugar con ellos.

Manuelito y yo tenemos seis años. Los dos tenemos seis porque nacimos el mismo día. Laura ya cumplió doce, Felisa, diez y Abelardo, nueve. Laura es nuestra hermana mayor y Felisa y Abelardo, nuestros primos. La mamá de nuestros primos, mi tía, se llama Bernarda y es hermana de mi mamá.

2

EL DÍA QUE salimos para Veracruz, ellos llegaron a nuestra casa, en taxi, muy temprano.

Mi mamá sirvió el desayuno.

—Cuca y Manuelito, no coman mucho para que no se mareen —nos dijo mi tía Bernarda.

Tardamos mucho en salir porque mi tío Vicente revisó el motor del coche por más de dos horas. A él le encanta revisar motores y tiene un aparatito con el que mide el aire de las llantas.

No sabíamos cómo acomodarnos en el coche porque éramos demasiados.

—¡Acomódense como puedan! —nos dijo mi papá.

Quedamos como lata de sardinas.

Para entretenernos, en el camino íbamos cantando y contando chistes.

—Les voy a contar uno de un perico —les dije.

—¡Ay, Cuca, cómo crees! —me regañó Laura—, ése está muy grosero.

—Pero si tú me lo contaste —le recordé.

—¡No es cierto!

—¡Claro que sí, no seas mentirosa! —le dije.

Ella me dio un pellizco y yo empecé a llorar. Manuelito también, porque cuando nos hacen algo a cualquiera de los dos, los dos lloramos. Mi mamá regañó a Laura y nos sentó en sus piernas. Nos quedamos dormidos y eso fue lo bueno porque así no nos mareamos.

Despertamos cuando mi papá frenó. Teníamos el pelo pegado en la frente de tanto que estábamos sudando. Hacía un calor muy fuerte. Manuelito y yo preguntamos si ya habíamos llegado a Veracruz; mi mamá nos dijo que no, que apenas estábamos en Catemaco y que íbamos a comer ahí. A pesar del calor nos dio mucho gusto porque a Manuelito y a mí nos encanta comer en restaurante.

El restaurante no era elegante ni mucho menos, pero estaba muy bonito porque no tenía paredes y desde ahí se veía la laguna. Las mesas eran de madera y las sillas también. Un señor gordo llegó a atendernos:

—¿Qué van a pedir?

—Por lo pronto unas limonadas —dijo mi tío Vicente.

El señor gordo nos trajo las limonadas y nos leyó la lista de lo que había:

—Mojarras, camarones, ostiones, pulpo, cangrejo, calamares y... carne de chango.

—¡Acabáramos! —le dijo mi tío Vicente—. ¿Cómo se atreve éste a cocinar a sus semejantes?

Todos se rieron, menos Manuelito y yo, porque no entendimos el chiste.

—¿De qué se ríen? —le preguntamos a Laura.

—Mi tío llamó "chango" al señor gordo —nos dijo en secreto y nosotros también nos atacamos de la risa.

Al señor gordo le dio coraje que nos burláramos de él.

—¡Vamos, amigo! ¡Sólo ha sido una tomadura de pelo! —le dijo mi tío Vicente y el señor gordo se volvió a poner de buen humor.

—Señor, ¿por qué le llaman "carne de chango"? —le preguntó mi papá—. ¿De qué es en realidad?

—Le decimos "carne de chango" porque en verdad es carne de chango —contestó el señor gordo.

Nos quedamos boquiabiertos.

El señor gordo se atrevió todavía a preguntarnos:

—¿La quieren probar?

¡Ninguno de nosotros quiso! Se nos hizo muy feo y nos dio mucha tristeza que pudieran guisar a unos animales tan bonitos y preciosos como son los changos.

—¡Cómo puede haber gente tan mala! —gritó Manuelito.

—No soy malo, niño, sólo soy un buen cocinero al que le gusta preparar la carne de chango porque es deliciosa —respondió el señor gordo.

—¿Qué sentiría si llegara un gigante y lo guisara a usted? —le dije yo, furiosa, y se empezó a reír.

—¿Cómo crees que algún gigante lo va a querer guisar? Este señor parece hipopótamo y los hipopótamos son más duros que una suela de zapato —dijo Manuelito y al señor gordo se le quitó la risa.

Mi mamá nos hizo señas para que nos calláramos y Manuelito y yo, no le pudimos seguir diciendo todo lo que pensábamos de él.

Cada quien pedimos lo que queríamos comer, menos Felisa; ella sólo lloraba quedito.

—¿Por qué lloras, Felisa? —le preguntó mi tía Bernarda.

—¡Changuitos! ¡Changuitos! —fue todo lo que pudo responder. Lo dijo tan triste que la tristeza se nos pegó a los demás, incluso a Laura, y los cinco nos pusimos a llorar.

Nuestros papás nos dijeron que no era cierto que guisaran a los changos; pa-

ra convencernos llamaron de nuevo al señor gordo:

—¿Verdad que eso de que guisan a los changos sólo ha sido una broma? —le preguntó mi mamá.

—¡Desde luego que no es broma! —respondió el señor gordo—. ¡Los preparamos a las brasas y a la veracruzana!

Lloramos con más tristeza todavía. No nos podíamos callar con nada.

Mi tío Vicente nos preguntó en voz baja, para que el señor gordo no oyera:

—¿De qué le véis cara a este tipo?

—De vomitada —respondió rápidamente Manuelito.

—Más bien de popó —agregué yo.

—Estoy de acuerdo —dijo mi tío— pero, sobre todo, la tiene de embustero.

Nos recordó que él es un buen comerciante y que por eso sabe que muchas veces los comerciantes dicen mentiras para atraer a la clientela.

—Vosotros habéis visto que en varias ocasiones yo he dicho que en la zapatería vendo zapatos con suelas rellenas de plumas de ganso...

—Mi mamá me compró unos que dijiste que tenían plumas de alas de ángel y me sacaron ampollas —lo interrumpió Manuelito.

—¿Véis? Es lo mismo —nos dijo—: Si este señor asegura que en su restaurante guisan a los changos es para tener más clientes, porque a la gente le gusta decir que ha visto, comprado o comido cosas raras.

Las palabras de mi tío Vicente nos convencieron pero, de todos modos, cuando el señor gordo nos trajo la comida, no pudimos probar bocado de sólo imaginarnos a los changuitos hirviendo en una olla con papas y zanahorias.

—¿Podemos ir a dar una vuelta? —preguntó Laura y nuestros papás dijeron que sí.

Fuimos a la parte trasera del restaurante y nos llevamos una sorpresa: un changuito encerrado en una jaula de tela de alambre se desvivía haciendo pirue-

tas. Era precioso. Tenía el pelo negro con manchitas blancas en el pecho, ojos brillantes y una cola muy larga.

Laura empezó a dar de gritos:

—¡Lo van a guisar! ¡Lo van a guisar!

—¡Buaaaaa! —los demás comenzamos a llorar.

Nuestros papás y nuestros tíos vinieron de prisa a ver qué nos había pasado.

—¡Tenemos que impedirlo! ¡No podemos dejar que lo fríian! —seguía gritando Laura, prendida de la jaula mientras nosotros llorábamos junto a ella.

—¡A este changuito no le va a pasar nada! —dijo mi tía Bernarda.

—Es la mascota del señor gordo, ¡cómo creen que lo va a guisar! —aseguró mi papá.

Mi tío Vicente llamó al señor gordo para que confirmara lo que ellos decían; cuando llegó, dijo el muy infeliz:

—No es mi mascota y lo voy a preparar con tomate y mejorana.

Casi nos vamos de espaldas. Y fue entonces cuando Laura gritó:

—¡Cómpralo, papá, no lo podemos dejar aquí!... ¡Si no lo compras, me muero!

—Si pudiera, lo compraría —dijo mi papá—, pero seguramente no está en venta.

—¡Claro que se vende! —respondió presuroso el señor gordo—. ¡Si les gusta se lo pueden llevar!

Nosotros empezamos a brincar de alegría.

—¿Cuál es el costo de este macaco tan flaco y tan feo? —preguntó mi tío Vicente.

Nosotros lo miramos furiosos por decirle así al changuito, pero él nos hizo un guiño y nos acordamos de que siempre que él compra algo dice que está muy feo y así se lo dejan más barato.

Discutieron sobre el precio, pero al fin se pusieron de acuerdo.

—Lo dejaremos aquí y cuando regresemos de Veracruz pasaremos por él —nos dijo mi papá.

Ninguno estuvimos de acuerdo y empezamos a protestar.

—No nos dejarán entrar con él al hotel —nos dijo mi tío Vicente—, y ni modo de dejarlo encerrado en el coche.

Eso ya nos estaba convenciendo, pero el señor gordo intervino:

—De una vez llévenselo, porque puede ser que cuando regresen de Veracruz ya lo encuentren guisado.

Laura se puso a dar de gritos y nosotros también.

—¡Si lo dejamos pagado nos lo tendrá que guardar! —dijo mi tío Vicente.

—Claro que les guardaré un chango —respondió el señor gordo—, pero tal vez ya no será éste, porque si los clientes lo piden, lo voy a cocinar.

Otra vez nos pusimos como locos.

—Ya no lloren —dijo mi papá—. ¡Lo vamos a comprar y lo llevaremos a Veracruz!

Nos pusimos felices, pero Felisa siguió llorando.

—¡Abelardo y yo también queremos un changuito y ni modo de partirlo en dos! —decía.

Entonces mi mamá tuvo la gran idea de que podíamos tenerlo una semana en una casa y una semana en la otra.

El señor gordo abrió la jaula y el changuito corrió a abrazarnos. Era muy tierno, parecía bebé, con la única diferencia de que los bebés no tienen cola y no te aprietan con ella el pescuezo.

Entre mi papá y mi tío Vicente pusieron el dinero para pagarlo. Dieron mitad y mitad.

Nos estábamos peleando porque todos queríamos cargarlo, pero el changuito solucionó el problema: le dio una mano a Laura y la otra a Felisa, y como en las patas también tiene una especie de manos, con una me agarró a mí, con la otra a Abelardo y a Manuelito le enrolló la cola en el pescuezo.

—¡Que pasen unas felices vacaciones cuidando a su chango, ji, ji, ji! —se burló el gordo.

Mi tío Vicente lo miró con furia y le dijo:

—¿Podríamos hablar un momento en privado?

—¡Cómo no! —aceptó el señor gordo.

Entraron a un cuarto que estaba por ahí. Se oyeron gritos y groserías. Al poco tiempo salió mi tío frotándose las manos.

—¿Qué pasó? —le preguntó mi papá.

—¡No podía haberme ido sin antes decirle dos que tres cosas al tipo gordo este! —respondió mi tío Vicente—. ¡Vámonos, Sinforoso! —le dijo al chango, y nos fuimos.

3

DE CATEMACO a Veracruz manejó mi tío Vicente. Mi mamá se fue adelante, en las piernas de mi papá, y mi tía Bernarda atrás, con nosotros.

Íbamos más apretados que antes y un poco incómodos porque Sinforoso no se estaba quieto. Brincaba encima de todos y se pasaba para adelante y para atrás; para atrás y para adelante.

Corrimos un poco de peligro porque en una curva Sinforoso se le subió en la espalda a mi tío Vicente y le tapó los ojos.

—¡Controlad a ese mono infeliz o lo arrojo por la ventana! —gritó.

—¡No insultes así a mi chango! —le dijo Laura, haciéndose la ofendida.

—¿Tu chango? —dijimos al mismo tiempo mis primos, Manuelito y yo—. ¡Sinforoso es de todos! —y ella se volvió hacia nosotros con furia.

Agarramos a Sinforoso y lo inmovilizamos. Él se retorcía y quería zafarse, pero no lo dejamos.

Al llegar a Veracruz, mi tío Vicente se detuvo en una tienda.

—¿Qué vas a comprar, Vicente? —le preguntó mi papá.

—Lo necesario para poder meter a Sinforoso al hotel —respondió él.

Salió de la tienda y nos dijo:

—¡Ponedle todo esto al mono!

Al mameluco le tuvimos que hacer un hoyo para que Sinforoso pudiera sacar la cola. El gorrito le quedaba a la medida y la chambrita también. Se veía lindo.

Cuando llegamos al hotel, mi tío Vicente cargó a Sinforoso y lo tapó con una cobijita tejida que también había comprado. Tuvo mucho cuidado de que la cola no se asomara.

"NO SE PERMITEN ANIMALES", decía un letrero en la puerta del hotel. Yo creo que Sinforoso también lo vio, porque se hizo bolita en los brazos de mi tío y se estuvo muy quieto.

—Hay una habitación grande para dos familias que también tiene cunas, ¿la quieren? —preguntó el señor que estaba detrás del mostrador.

—Está bien —respondió mi papá.

No sé si a ese señor le gusten los bebés o sospechó algo, porque a fuerza quería destapar a Sinforoso para verlo.

Mi tío Vicente empezó a ponerse nervioso. Cuando el señor estaba a punto de destaparlo, le dijo:

—¡Cuidado con el bebé vomitón! ¡Vomita con más impulso que una catapulta!

Y así fue como el señor lo dejó en paz y regresó al mostrador.

En el elevador, Sinforoso se sintió a salvo; de un tirón se quitó la cobijita, se subió a los hombros de mi tío Vicente y apretó todos los botones.

—¡Eres un tonto de capirote! —lo regañó mi tío—. ¡Estáte quieto, macaco odioso!

Recorrimos todos los pisos; Sinforoso se divertía saltándonos encima y despeinándonos. Bueno, menos a mi tío Vicente, porque a él, por más que quisiera, no lo podía despeinar.

Cuando por fin llegamos a nuestro piso, mi tío lo pescó y lo tapó con la cobija antes de salir del elevador.

En el pasillo nos encontramos con una señora que llevaba cargado a un niño como de tres años. Sinforoso iba muy inquieto y, justo al pasar junto a ellos, asomó la carita. La señora iba distraída y no lo vio, pero el niño lo señaló gritando:

—¡Un changuito, un changuito!

Mi tío Vicente lo tapó rápidamente, antes de que la señora lo descubriera.

—¡No le digas así al bebé! —regañó la señora al niño.

Pero él seguía diciendo:

—¡Changuito! ¡Changuito!

La señora, muy apenada, se acercó a mi tío:

—Disculpe, mi niño no sabe lo que dice.

Y se fue a toda prisa.

Mi tío Vicente, batallando para que Sinforoso no se asomara de nuevo, le dijo en voz baja:

—¡Rediez, claro que ese mocoso sabe de qué habla! ¿No es así, macaco desvergonzado?

El cuarto estaba muy grande porque en realidad eran dos cuartos con un baño en medio. También tenía una terraza y desde ahí se veía el mar.

En cuanto entramos, Sinforoso se empezó a jalar la ropa.

—¡Ik, ik, ik! —gritaba.

Mi mamá lo desvistió y él, muy feliz, se puso a brincar sobre las camas. Había una cama grandota, unas literas y una cuna en cada cuarto.

Las cunas no le gustaron, yo creo que le recordaban su jaula.

Manuelito y yo también nos pusimos a brincar en las camas, hasta que mi mamá nos regañó.

Como Sinforoso es chiquito y todavía no sabe avisar, y mucho menos ir solo al baño, se hizo pipí y popó por todos lados.

—¡Mono inmundo, te voy a dar...! —lo amenazó mi tío Vicente.

Mi tía Bernarda tomó un rollo de papel y se puso a limpiar para que no lo regañara más.

En la tarde, mis papás y mis tíos se fueron a la playa. Sólo Laura quiso ir con ellos; Felisa, Abelardo, Manuelito y yo nos quedamos en el cuarto con Sinforoso.

Cuando regresaron, trajeron una gran penca de plátanos. Sinforoso se puso muy contento y empezó a pelarlos; unos se comía y otros nos daba.

Dice mi papá que esa noche no pudo dormir. Es que Manuelito y yo queríamos acostarnos con Sinforoso y no cabíamos los tres en la litera de abajo, porque Laura escogió en seguida la de arriba. Entonces, convencimos a mi mamá de que ella se acostara en la litera, nosotros en la cama grande y mi papá en la cuna.

Como él no quería, Manuelito y yo empezamos a llorar y Sinforoso a gritar. Gritó tan fuerte que el señor del mostrador fue a tocarnos en la puerta para averiguar qué ocurría.

—¡Qué escándalo es éste!

—¡No es nada! —respondió mi papá—. El bebé está un poco inquieto pero en seguida se va a calmar, no se preocupe.

Entonces, mi mamá se acostó en la litera, mi papá, hecho bolita, en la cuna y Manuelito, Sinforoso y yo, muy cómodos, en la camota.

4

AL DÍA siguiente, muy temprano, Sinforoso se encargó de despertarnos con un besito. A mi tío Vicente se lo dio en la boca.

Manuelito y yo pensamos que mi tío, además de ser español, también es enojón, pues en lugar de ponerse feliz de que Sinforoso lo quisiera tanto, le gritó:

—¡Mico asqueroso! —y se fue a lavar la boca.

Nuestros papás nos dijeron que nos laváramos y nos arregláramos. Laura, igual que en la casa, ganó el baño y se encerró. Tardó mucho en salir porque ella, como ya se cree muy grande, se unta todo lo que encuentra.

Felisa, Abelardo, Manuelito y yo entramos después al baño y Sinforoso nos siguió. También a él le lavamos la cara y las manos y le pusimos talco y loción. Cuando nos estábamos lavando los dientes, Sinforoso se empezó a tallar los suyos con el dedo.

—¿Se te olvidó tu cepillo? —le preguntó Manuelito.

—¡Ik ik ik! —respondió Sinforoso.

—Pobrecito, ¿ahora con qué se va a lavar? —dijo Felisa.

Entonces a Abelardo se le ocurrió que el de su papá serviría.

Le puso pasta y se lo dio. Sinforoso, muy contento, se empezó a cepillar. De pronto, empezó a brincar y a escupir en el espejo de tanto que le picaba la pasta. Nos dio mucha risa y él empezó a gritar.

Mi tío Vicente se asomó y descubrió a Sinforoso con su cepillo en la mano. Entró como ciclón y se lo arrebató dando de gritos:

—¡Te voy a dar, mono confianzudo! ¿¡Cómo te atreves a coger mi cepillo...!?

Estuvo a punto de darle con él en la cabeza, pero Abelardo lo defendió:

—¡Fue mi culpa, papá, yo se lo di! ¡Sinforoso es inocente!

Mi tío Vicente se calmó y le dijo:

—Es bueno que reconozcas tus errores; te daré un premio por haber dicho la verdad.

—¡De premio, quiero que le regales tu cepillo a Sinforoso! —pidió Abelardo.

Mi tío aceptó y Sinforoso se le prendió al cuello y le dio un beso.

Ya estábamos limpios y listos para vestirnos.

—Pónganse el traje de baño porque nos vamos a la playa —nos dijo mi mamá.

Felisa, Abelardo, Manuelito y yo dijimos que preferíamos quedarnos con Sinforoso. Sólo Laura quería ir porque se iba a poner un bikini.

—Si hemos venido hasta Veracruz no ha sido para quedarnos encerrados en el cuarto —nos dijo mi tío Vicente.

—Sinforoso va a estar bien porque mi tío Vicente le compró una canasta llena de fruta —dijo Laura—, se va a quedar muy contento come y come.

En eso, oímos unos golpes y una voz en la puerta:

—¿Ya puedo hacer la recámara?

Era la señorita del aseo.

—¡Un momentito! —le dijo mi mamá y mi tía Bernarda encerró a Sinforoso en el baño.

La señorita entró al cuarto.

—¡Aquí huele muy mal! —nos miró a Manuelito y a mí—. ¡Si todavía no saben avisar, por lo menos usen pañal! —nos dijo.

—¡No fuimos nosotros! —le dije.

—Fue Sinforoso —se apresuró a decir Manuelito.

—¿Quién es Sinforoso? —quiso saber.

—Nuestro bebé —contestó mi tío Vicente.

Ella corrió a asomarse en las cunas.

—¡Me encantan los bebés! —iba diciendo.

Y como ahí no había ningún bebé preguntó que dónde estaba.

—En el baño —respondió mi papá.

Apenas acababa de decir eso, cuando en el baño se empezó a oír un ruidero tremendo.

—¿Quién está con el bebé? —preguntó la señorita.

—Una tía —dijo mi tío Vicente—, pero como ya es muy vieja, tira las cosas sin querer.

La señorita lo miró con sospecha.

—Yo los vi llegar al hotel y ninguna vieja venía con ustedes.

Como el ruidero del baño aumentaba y por debajo de la puerta empezó a salir agua, mi papá decidió decirle la verdad:

—¡Le confieso que es un chango!

La señorita no se enojó.

—¡Adoro a los changos! —dijo, y abrió la puerta del baño.

Parecía chapoteadero. Por todos lados flotaban frascos, pedazos de vidrio, peines, cepillos de dientes, jabones, esponjas y hasta las rasuradoras de mi tío y de mi papá.

—¡Mal nacido! ¡Mono destructor! ¡Ahora sí acabaré contigo! —y lo agarró por el pescuezo.

Entre todos logramos quitarle a Sinforoso de las manos y el pobre corrió a esconderse debajo de la cama.

—Cálmese, sólo ha sido una diablura; los changos son traviesos como niños —le dijo la señorita y mi tío se calmó.

—¿Qué vamos a hacer ahora? —preguntó, preocupado, mi papá—. No podemos dejar a Sinforoso en el cuarto; sería capaz de destrozar todo...

—Además —agregó la señorita—, el administrador revisa todos los días los cuartos y donde lo encuentre aquí, les va a cobrar una multa que no alcanzarán a pagar ni con todo el dinero de sus vacaciones.

Mi tío Vicente llamó a Sinforoso y le puso la ropa de bebé. Lo cargó y lo tapó con su cobijita.

—¡Vámonos a la playa! —nos dijo.

Y así fue como salimos del cuarto muy contentos, aunque nerviosos.

—Hace mucho calor para que traigan a ese bebé tan tapado —comentó el del mostrador cuando pasábamos por ahí y se acercó a quitarle la cobija.

—¡No se atreva a descubrirlo! —le advirtió mi tío Vicente—. Se trata de un bebé que nos han enviado desde el África y este calor apenas está bien para él. ¡Podría pescar un resfriado!

Yo creo que sí le creyó porque nada más le acomodó la cobijita para que no le entrara un aire colado y regresó al mostrador.

5

EN LA PLAYA había mucha gente asoleándose, jugando, toreando las olas, nadando, juntando conchitas y haciendo castillos de arena.

—Hemos de buscar un lugar menos concurrido para sacar a Sinforoso —nos dijo mi tío Vicente.

Tuvimos que caminar mucho para encontrar un lugar que no estuviera lleno. Por fin llegamos a donde sólo estaban unos novios y unos viejitos con su perro.

Los novios ni siquiera se dieron cuenta de que habíamos llegado, porque a ellos no les interesaba jugar, ni nadar, ni juntar conchitas, ni torear las olas; sólo querían estar abrazados, mirándose a los ojos. Laura los vio y empezó a suspirar.

Los viejitos nos vieron y trataron de tapar a su perro con una cobijita de bebé que sacaron de una bolsa enorme donde traían muchas cosas.

—Sigan tranquilos —les dijo mi tío Vicente, mostrándoles a Sinforoso.

En cuanto le quitamos la ropita de bebé, Sinforoso empezó a saltar feliz y a torear las olas. El perrito hizo lo mismo y de inmediato los dos se hicieron amigos. ¡Cómo se estaban divirtiendo!

Nosotros también nos hicimos amigos de los viejitos. De los novios no, porque estaban en la luna.

Los viejitos empezaron a buscar algo en su enorme bolsa y sacaron una pelota grandísima. Manuelito y yo nunca habíamos visto una igual. Tenía pintados gajos de muchos colores. Parecía una naranja gigante policroma. A Manuelito y a mí nuestra maestra nos acaba de enseñar esa palabra que quiere decir que es de muchos colores y nos encanta decirla porque sentimos rico al decir: po-li-cro-ma.

—¡Vivan los viejitos! ¡Vivan los viejitos y su pelotototota po-li-cro-ma! —gritamos Manuelito y yo.

—¡No sean irrespetuosos, no llamen así a los señores! —nos regañó mi mamá.

—Malo si les hubiéramos dicho viejos o chochos —aclaró Manuelito—, viejitos es de cariño.

Mi mamá lo iba a regañar porque lo miró como nos ve cuando se enoja, pero la viejita salió en su ayuda:

—Deje que los niños nos digan como quieran... además, "los viejitos" nos gusta mucho.

Formamos una gran rueda entre todos. Bueno, casi entre todos; lo que pasa es que Laura se quedó recostada en la arena, mirando embobada a los novios.

—¿Quién quiere ser el "salero"? —preguntó Felisa.

—¡Yo! —dijo Abelardo.

Se puso en el centro y, cuando nos aventábamos la pelota, él brincaba y trataba de ganarla. Por fin la ganó.

—¿Ahora quién? —volvió a preguntar Felisa.

—¡Ik! —gritó Sinforoso y corrió al centro.

Sinforoso ganó al momento la pelota, porque él puede brincar mucho más alto que cualquier niño.

Después la viejita se puso de "salero" y no pudo ganar la pelota. Sus brincos eran tan bajitos que ni parecían brincos.

El juego se acabó cuando el perrito atrapó la pelota con los dientes. También se acabó la pelota.

De tanto saltar nos habíamos acalorado demasiado y nos metimos al mar para refrescarnos. Estábamos muy entretenidos jugando con las olas y, de pronto, Sinforoso ya no estaba.

Nos preocupamos mucho. Hasta llegamos a pensar que una ola se lo había llevado. Fue horrible.

—¡Sinforoso desapareció! —le dije a Laura.

Ella dejó de mirar a los novios, se levantó de la arena como resorte y armó

un alboroto tremendo. Los novios por fin se dieron cuenta de que no estaban solos y también nos ayudaron a buscarlo.

—¡Sinforoso!... ¡Sinforoso! —le gritamos muchísimas veces.

Al gritarle yo sentía un nudo en la garganta porque pensaba que ya no iba a volver a verlo jamás. A Manuelito ni siquiera le salía la voz; sólo le salían lágrimas.

De pronto, Abelardo nos llamó a gritos:

—¡Una huella! ¡Una huella!

Todos fuimos rapidísimo para allá y la vimos. Más adelante vimos otra y, bastante más lejos, una más. Estaban muy retiradas una de otra.

—Se fue dando unos brincos enormes, con razón desapareció tan rápido de nuestra vista —dijo mi papá.

El perrito era un buen rastreador. Iba olfateando y cada vez que encontraba una huella nos avisaba:

—¡Aquí está! ¡Aquí está!

Pero como él no habla en el idioma de los niños sino en el de los perritos, decía:

—¡Guá! ¡Guá!

—¿Este perro es de caza? —preguntó mi tío Vicente.

—A medias —dijo el viejito—, porque la mamá es pointer y el papá, pequinés.

Con razón es tan precioso, pensé.

Las huellas de Sinforoso iban directamente hacia la playa que estaba frente al hotel.

—¡Hacia dónde se le ocurrió dirigirse a este zopenco...! —exclamó mi tío Vicente—. ¡Nos multarán por traer animales! —les dijo a los viejitos.

La viejita, rápidamente, alzó en brazos al perrito.

—El administrador todavía cree que nuestro perro es un bebé —le dijo—, así es que, ¡con permiso...! —y se fueron a toda prisa.

Los novios no dijeron nada pero también se fueron.

Se empezaron a oír unos gritos:

—¡Mis lentes!... ¡Mi reloj!... ¡Mi termo!... ¡Mi celular!

Toda la gente estaba como loca.

—¡Que el diablo me lleve! —gritó mi tío Vicente—. ¡Venid a ver! —nos llamó.

Sinforoso corría de un lado para otro y levantaba las cosas que encontraba en la arena. También pasaba por encima de los que estaban asoleándose y les daba unos fuertes jalones de pelo.

—¡Sinforoso! —le gritó mi tío Vicente—. ¿Qué estás haciendo, mono infeliz? —y empezó a correr trás él.

El pobrecito Sinforoso se asustó y aumentó la velocidad.

—¡Ahí está el dueño! ¡Ahí está el dueño! —dijo alguien entre la gente.

Sinforoso se subió a una roca y miró con miedo a mi tío Vicente, que le gritaba enojado:

—¡Baja de ahí, cabezota!

Y cuando vio todas las cosas que traía en las manos lo regañó mucho más:

—¡Te ordeno que bajes, miserable uñas largas!

Sinforoso, sin saber qué hacer, aventó las cosas al mar.

—¡Que venga la policía! —gritó un muchacho.

—¡Sí, que venga! —dijeron los demás.

—¡Por favor! —suplicó mi tío Vicente—. ¡Todo se les pagará!

Y se puso a gritarle a Sinforoso unas cosas muy feas:

—¡Macaco mal nacido! ¡Bestia peluda! ¡Simio del demonio!

Fueron demasiados insultos para un chango tan pequeño; sin poderme contener, le dije a mi tío Vicente:

—¿Qué sentirías si llegara un gigante y te dijera: pelón cara de papel del baño?

—¿O cabeza de bacinica? —agregó Manuelito.

Y le íbamos a decir otras cosas pero mi mamá nos dijo que no le dijéramos así a nuestro tío.

Sinforoso estaba muy triste; se sentó en la roca y se tapó la carita con las manos. Manuelito empezó a llorar y yo también.

En eso, llegó el señor del mostrador del hotel y preguntó de quién era ese chango. Toda la gente señaló a mi tío Vicente.

—¡Así es que éste era su bebé africano...! —le dijo—. ¡Pues se va usted a quedar más frío que un esquimal cuando pague la multa por andar metiendo animales en mi hotel! —lo amenazó.

Sinforoso no quería bajar por más que mi tío Vicente se lo pedía. Claro, cómo iba a querer si le había dicho tan feo. No bajó hasta que Abelardo subió por él.

Estábamos en el hotel, tranquilizando a Sinforoso, cuando entraron mi papá y mi tío.

—¡Preparen las maletas porque las vacaciones se acabaron! —dijo mi papá.

Después de pagar la multa y todas las cosas que Sinforoso aventó al mar, nos quedamos sin un quinto.

—¡Bonitas vacaciones! —dijo mi tío Vicente, y miró furioso a Sinforoso.

Como estaba tan pero tan enojado preferí callar. En cambio, se me quedó en la punta de la lengua decirle que ¡claro que sí!, que éstas han sido en verdad las vacaciones más bonitas, lindas y preciosas de toda mi vida.

EL BARCO DE VAPOR

SERIE AZUL (a partir de 7 años)

EL BARCO DE VAPOR

SERIE NARANJA (a partir de 7 años)

Se terminó de imprimir en mayo de 2001,
en Edamsa Impresiones , S.A. DE C.V. Av. Hidalgo 111
Col. San Nicolás Tolentino. Tel. 54 43 45 20